W9-DEM-340

les Bonnes Recettes
des **Bouchons**
Lyonnais

À Laurine et Alexis,
futurs gastronomes…

© 2003 Libris
3ᵉ édition novembre 2004
Tous droits réservés pour tous pays
ISBN : 2-84799-002-X

Libris
21, rue de la Tuilerie, 38170 Seyssinet
libris@libris.fr
www.libris.fr

RECETTES ET AQUARELLES
EVELYNE ET JEAN-MARC BOUDOU

les Bonnes Recettes des Bouchons Lyonnais

Les Bouchons, *une page d'histoire... culinaire*

Avant d'entamer ce projet sur la gastronomie, nous nous doutions qu'il faudrait faire des choix : choix parmi les recettes, mais surtout choix des établissements qui nous les feraient découvrir. Et ces choix seraient forcément difficiles...

En effet, qui arpentera Lyon, et principalement le Vieux Lyon, sera étonné du nombre de Bouchons qui interpelle le chaland. Ces choix s'imposaient donc. On en reparlera plus loin...

On commencera par causer des origines du Bouchon, sans entrer (heureusement) dans une véritable étude étymologique. Où l'on verra que les avis divergent sur la question...

...des Bouchons...

L'Histoire dit qu'au temps où les voyageurs n'empruntaient pas encore le tunnel sous Fourvière pour rejoindre leur lieu de villégiature, ils faisaient halte dans des relais où, en plus du gîte et du couvert, on frictionnait leurs chevaux à l'aide de bouchons de paille. Ces lieux, ensuite fréquentés des canuts et des ouvriers, gardèrent leur surnom de Bouchons.

Une tradition veut encore que les tenanciers de petits cabarets, où l'on buvait, mangeait et riait pour pas cher, qui voulaient se différencier de leurs congénères, plaçaient au dessus de leur porte une branche de pin que l'on nommait "bousche". De "bousche" à bouchon, il n'y a qu'un pas que la tradition franchit allègrement. De la paille au pin, on choisira sa version et l'on s'accordera seulement sur les vertus de la métonymie : le contenant par le contenu, le tout pour la partie, la chose pour le signe de la chose...

On s'accordera surtout à reconnaître aux Bouchons des vertus moins intellectuelles et plus conviviales… Le Bouchon est un endroit où l'on vient manger, certes, mais où la qualité des produits et des recettes le dispute à la convivialité de l'endroit : on y vient pour discuter et passer un bon moment pourvu qu'on ait gagné la confiance du patron parfois un peu bourru. Quand on connaît enfin l'endroit, on se sent "comme à la maison". On se rappellera que les Bouchons étaient autrefois tenus par des "mères", de celles qui nourrissaient (de nourrice) leurs pensionnaires avant de les servir. Ce n'est pas non plus un hasard si la majorité de ces établissements sont installés dans des maisons chargées d'histoire. D'où les cadres parfois particuliers. On lèvera de temps en temps le nez de son assiette pour apprécier le décor (les cadres au mur, les pots sur le zinc…) et l'ameublement (les anciennes glacières, le zinc lui-même…).

On pousse donc la porte d'un Bouchon comme on entre chez soi.

Choix il fallut donc faire, et ceux-ci sont (de Lyon) faits grâce aux labellisés "Authentiques", et il est encore ici question d'histoire pour conter…

…des Bouchons et des Authentiques Bouchons lyonnais.

De Bouchons il en est beaucoup, de véritables il en est moins… En 1997, une association a été créée pour garantir l'authenticité de certains établissements, cela grâce à une charte et à des contrôles de qualité réguliers. Une dizaine d'articles encadrent l'activité, sauvegardant ainsi à la fois "un pan de patrimoine et la réputation d'une cité où le bien-manger dans la simplicité est élevé au niveau de l'institution" (extrait de l'introduction au "code de bonne conduite des Authentiques Bouchons lyonnais"). Une plaque émaillée, représentant une marionnette portant verre et chapeau haut, est accolée à l'entrée des Bouchons et permet de les reconnaître. On les "reconnaîtra" donc, mais on ne jettera pas pour autant l'opprobre sur les non Authentiques et non moins véritables ; il en est de bons. Il faut y goûter pour savoir…

En guise de conclusion…

…une cuisine simple à mettre en place et de bonne qualité, en référence à une gastronomie renommée, voilà ce que nous recherchions pour ce modeste ouvrage. Merci donc aux Authentiques Bouchons, et aux autres, de nous l'avoir faite découvrir.

Mais si les recettes que nous présentons sont accessibles aux "péquins" et peuvent être concoctées dans le cadre de sa p'tite cuisine, n'oublions pas que cette cuisine s'apprécie doublement dans l'ambiance même du Bouchon, petit conservatoire des traditions lyonnaises, attablé pas trop loin du comptoir, quand les habitués se permettent parfois d'aller "embêter" le chef en cuisine.

Bien à vous.

Les Authentiques Bouchons Lyonnais

ABEL
25, rue Guynemer
69002 Lyon
Tél. 04 78 37 46 18

BRUNET
23, rue Claudia
69002 Lyon
Tél. 04 78 37 44 31

CAFÉ DES DEUX PLACES
5, place Fernand-Rey
69001 Lyon
Tél. 04 78 28 95 10

CAFÉ DES FÉDÉRATIONS
8, rue du Major-Martin
69001 Lyon
Tél. 04 78 28 26 00

DANIEL ET DENISE
156, rue de Créqui
69003 Lyon
Tél. 04 78 60 66 53

CHEZ GEORGES
LE PETIT BOUCHON
8, rue Garet
69002 Lyon
Tél. 04 78 28 30 46

LES GONES
Halles de Lyon
102, cours Lafayette
69003 Lyon
Tél. 04 78 60 91 61

HUGON
12, rue Pizay
69002 Lyon
Tél. 04 78 28 10 94

LE JURA
25, rue Tupin
69002 Lyon
Tél. 04 78 42 20 57

CHEZ MARCELLE
71, cours Vitton
69006 Lyon
Tél. 04 78 89 51 07

LE MERCIÈRE
56, rue Mercière
69002 Lyon
Tél. 04 78 37 67 35

LA MÈRE JEAN
5, rue des Marronniers
69002 Lyon
Tél. 04 78 37 81 27

LE MITONNÉ
26, rue Tronchet
69006 Lyon
Tél. 04 78 89 36 71

LE MORGON
2, rue Baraban
69006 Lyon
Tél. 04 78 24 06 23

LE MUSÉE
2, rue des Forces
69002 Lyon
Tél. 04 78 37 71 54

CHEZ PAUL
11, rue du Major-Martin
69001 Lyon
Tél. 04 78 28 35 83

LES TROIS MARIES
1, rue des Trois-Maries
69005 Lyon
Tél. 04 78 37 67 28

À MA VIGNE
23, rue Jean-Larrivé
69003 Lyon
Tél. 04 78 60 46 31

LE VIVARAIS
1, place Gailleton
69002 Lyon
Tél. 04 78 37 85 15

Liste sujette à fluctuations (!), à vérifier régulièrement auprès de l'association *Les Authentiques Bouchons Lyonnais*, 146 avenue des frères Lumières - 69008 Lyon.

LES SOUPES

La France est une nation "soupière", a écrit plaisamment Alexandre Dumas.
Il fut un temps, en effet, où toutes les familles françaises mangeaient au moins une soupe
par jour, surtout de celle qui faisait grandir ! Elle reste pourtant appréciée en hiver où
la soupe de légumes se taille la part du lion (un lion végétarien, bien sûr !).

Les soupes à l'oignon, aux vermicelles sont "nationalement" répandues ;
celle au beaujolais est nettement plus locale, mais peut-être moins conseillée aux enfants !
La qualité d'une soupe dépend surtout de la fraîcheur des ingrédients, et en cela,
une bonne soupe de tripes ne fera de mal à personne...

Les Bouchons n'hésitent pas à les proposer sur leur carte, n'hésitons pas
à les préparer...

Soupe gratinée à l'oignon

Où l'on retrouvera avec bonheur l'oignon, coquin d'oignon, qui nous fait parfois croire qu'il occupe la première place dans la cuisine lyonnaise...

Allez, sa place est quand même d'importance, goûtons-le donc dans un de ces rôles favoris.

Pour 6 personnes

- 200 g d'oignons
- 200 g de fromage râpé
- 3 œufs
- 10 cl de porto
- 2 cuillères à soupe d'huile
- Sel et poivre
- 1 baguette de pain

⧗ **Préparation : 15 minutes**

✺ **Cuisson : 30 minutes**

- Éplucher et émincer les oignons.
- Faire revenir dans une sauteuse.
- Ajouter 1,5 litre d'eau.
- Laisser mijoter 10 minutes.
- Saler et poivrer.
- Préparer de fines tranches de pain et dorer les croûtons au four.
- Verser le potage dans une soupière allant au four.
- Disposer le pain et le fromage.
- Après avoir préchauffé le four thermostat 6, cuire la gratinée 15 minutes.
- Au moment de servir, battre les jaunes d'œufs avec le porto et l'incorporer dans la soupe.

Servir très chaud.

Soupe de courge, potiron, citrouille...

"Les courges sont des aliments sains, sucrés, de saveur assez agréable, constituant une précieuse ressource pour l'hiver"... Le Larousse ménager (illustré), édition de 1926, nous vante tellement les mérites de la courge qu'on aurait tort de ne pas en profiter.

Préparons-la et goûtons-la...

Pour 4 personnes

- *1,5 kg de potiron*
- *3/4 litre de crème liquide*
- *Sel et poivre*
- *Muscade*

Pour les croûtons :

- *12 tranches de baguette (1 cm)*
- *12 tranches de saucisson lyonnais coupé très fin*
- *150 g de gruyère râpé*

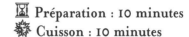

Préparation : 10 minutes
Cuisson : 10 minutes

- *Éplucher le potiron et enlever les graines.*
- *Cuire à la Cocotte-Minute pendant 3 minutes, laisser égoutter.*
- *Dans une casserole, mixer les morceaux et ajouter la crème.*
- *Assaisonner de sel, poivre et muscade.*

Pour les croûtons

- *Disposer sur chaque tranche de pain une fine tranche de saucisson.*
- *Ajouter une pincée de gruyère.*
- *Dorer ensuite le tout au four.*
- *Mettre les croûtons dans chaque assiette et ajouter la soupe bien chaude.*

Soupe de tripes

Quand on aura préparé sa soupe vite fait bien fait, on en sera quitte pour l'écouter chanter deux bonnes heures au creux de sa soupière ! Il n'est toutefois pas indispensable de la veiller tout ce temps : il est fort peu probable que les lanières de tripes jouent les filles de l'air...

Pour 4 personnes

- 1 kg de tripes
- 2 cuillères à soupe d'huile d'olive
- 2 gousses d'ail
- 2 échalotes
- 1 bouquet garni
- 4 carottes
- 1 clou de girofle
- Origan et thym séchés
- 1/4 litre de vin blanc sec
- 2 cuillères à café de concentré de tomates
- Sel et poivre

⧗ **Préparation : 15 minutes** ✺ **Cuisson : 2 heures**

- Hacher l'ail et l'échalote.
- Couper les tripes en lanières et les carottes très finement.
- Dans un peu d'huile d'olive, faire revenir l'ail et l'échalote.
- Ajouter les tripes, les carottes et les herbes.
- Mouiller avec le vin blanc, verser le concentré de tomates.
- Dans une soupière, rallonger d'eau à niveau.
- Saler, poivrer.
- Laisser cuire la soupe à feu doux 2 heures durant.
  (On peut aussi la cuire dans une Cocotte-Minute 3/4 d'heure).

Soupe au beaujolais

De renommée dorénavant mondiale, sa majesté Beaujolais daigne encore s'asseoir à nos tables, voire accompagner Dame soupe dans une association qui, si elle ne fait pas grandir, n'en émeut pas moins le gosier. À essayer...

Pour 4 personnes

- 1 l de bouillon de bœuf ou de volaille
- 4 dl de beaujolais
- 2 cuillères à soupe de tapioca
- 1 oignon
- 1 carotte
- 1 navet
- 30 g de beurre
- Sel et poivre

⌛ **Préparation : 15 minutes**
✺ **Cuisson : 1 h 50**

➤ Éplucher et couper les légumes en dés.
➤ Les faire revenir dans une casserole avec le beurre.
➤ Mouiller avec le vin et le réduire doucement.
➤ Ajouter le bouillon chaud
  et laisser mijoter 1 h 30.
➤ 20 minutes avant la fin de la cuisson, verser le tapioca.

Déguster bien chaud.
Accompagner la soupe d'une bonne bouteille de beaujolais.

LES SALADES
ET LES ENTRÉES FROIDES

On se mettra ici en appétit en préparant ces salades, sans piocher en tapinois dans le saladier, et en se régalant d'avance du savant mélange que l'on conçoit… Car de salades il est autant que de poissons dans la Dombes : d'une préparation de 20 minutes à 24 heures de macération, on choisira la chose en fonction de son temps… et de sa faim.

Quant aux autres entrées en matière, qu'on se dépêche d'en parcourir les lignes avant de sentir monter l'envie d'y goûter…

Saladier lyonnais

Le saladier lyonnais n'est pas la salade lyonnaise,
et inversement... Il se trouve même qu'il n'est point question
de salade dans la recette du saladier lyonnais.
Cela n'enlève en rien aux qualités gustatives de ce saladier,
dont on dévorera plutôt l'intérieur !...

Pour 4 personnes

- 1 pied de mouton
- 2 foies de volaille
- 3 œufs durs
- 4 filets de harengs
- 1 bouquet de ciboulette,
  estragon, cerfeuil et persil
- 4 cuillères d'huile
- 2 cuillères de vinaigre
- 50 g de beurre
- Sel et poivre

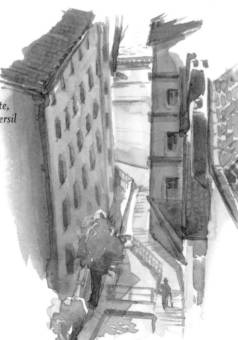

⧗ **Préparation : 20 minutes**

❋ **Cuisson : 12 minutes**

- Cuire le pied de mouton au court-bouillon.
- Le découper en petits dés, puis laisser refroidir.
- Durcir les œufs pendant 10 minutes dans l'eau bouillante.
- Dans une poêle, faire revenir les foies de volaille avec le beurre.
- Saler et poivrer.
- Hacher finement les herbes.
- Dans un saladier, mélanger les dés de pied de mouton, les foies de volaille et les œufs durs coupés en morceaux, les filets de harengs émincés et les herbes.
- Verser sur le tout une vinaigrette sans sel.
- Bien mélanger.

Salade de groins d'âne

Pour 6 personnes

- 3 salades frisées
  (ou, en saison, des pissenlits)
- 350 g de lardons
- 2 poignées de croûtons
  (ou 2 tranches de pain de campagne)
- 20 cl de bon vinaigre
- Huile, moutarde (vinaigrette)
- 6 œufs
- Sel et poivre

On prête à Félix Benoit, historien et humoriste, grand "connoisseur" de la chose lyonnaise, cette parole, dite en savourant une salade de pissenlits : "Toujours est-il que barabans et groins d'ânes, en salade avec quelques lardons grillés, sont capables de faire damner un saint au printemps." C'est dire du plaisir que l'on prendra à déguster "c'te r'cette". On la dégustera même en hiver en troquant pissenlits pour salade frisée. L'essentiel est ce qu'il y a autour !...

⧗ **Préparation : 10 à 15 minutes**
✻ **Cuisson : 10 minutes**

- Trier et laver la salade, puis l'essorer.
- Pocher les œufs séparément dans l'eau vinaigrée.
- Les retirer au bout de 1 minute, les poser dans une écumoire.
- Bien dorer les lardons.
- Dans la même poêle, déglacer le jus avec 2 cuillères à soupe de vinaigre en le portant à ébullition.
- Faire revenir les croûtons, puis les frotter à l'ail.
- Préparer une vinaigrette.
- Placer la salade dans un saladier, mettre les lardons, verser la sauce, le jus déglacé et remuer.
- Ajouter les croûtons et poser dessus les œufs pochés avant de servir.

HHMMMMM !!!!

Salade de clapetons

Clapetons, clapotons, il est ici question de pieds de moutons...
Mais à ces mots on sentira la chose lyonnaise en diable, des abats
nécessaires jusqu'à l'appellation mystérieuse, qui n'est pas sans rappeler
le bruits "clapoteux" des sabots sur le carreau des halles.
La gastronomie est-elle autre chose que question de langue ?...

Pour 4 personnes
- *4 pieds de moutons*
- *2 jaunes d'œufs*
- *2 cuillères de moutarde*
- *3 cuillères de crème*
- *25 cl d'huile d'arachide*
- *1 verre de vinaigre*
- *Sel et poivre*

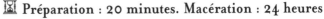
⧗ Préparation : 20 minutes. Macération : 24 heures

- *Faire cuire les pieds de moutons au court-bouillon,
  les désosser et les couper en petits morceaux.*
- *Les disposer dans une terrine.*
- *Ajouter un verre de vinaigre et une cuillère de moutarde blanche.*
- *Mélanger et laisser macérer 24 heures.*
- *Le lendemain, égoutter les clapetons.*
- *Dans un bol, mélanger une vinaigrette avec les 2 jaunes d'œufs
  et les 3 cuillères de crème fraîche.*
- *En fouettant vivement, incorporer peu à peu 25 cl d'huile.*
- *Verser la sauce sur les clapetons, bien mélanger,
  saupoudrer de persil. C'est fini.*

Salade de foies de volaille

Pour 4 personnes

- *1 belle salade verte (feuille de chêne)*
- *8 foies de volaille (poulet de préférence)*
- *1 échalote hachée*
- *50 g de beurre*
- *Vinaigre blanc*
- *Sel et poivre*

Dans les mille et une façons d'accompagner une salade, les foies de volaille sont un classique du genre. La lecture de cette recette donnera des ailes aux cuisiniers en herbe, quant aux autres, qu'ils ne méprisent pas les "ceusses" qui s'appliquent en nettoyant leur salade !

⌛ **Préparation : 10 minutes**
✳ **Cuisson : 5 minutes**

- *Laver et essorer la salade.*
- *Séparer les lobes de foies de volaille après les avoir bien nettoyés pour enlever le fiel restant.*
- *Pendant 3 à 4 minutes, faire revenir les foies et l'échalote hachée.*
- *Saler et poivrer.*
- *Après avoir versé un filet de vinaigre sur les foies, déglacer le jus de la poêle en le portant à ébullition.*
- *Dans un saladier, mettre les foies et le jus sur la salade.*
- *Assaisonner et remuer, il ne reste plus qu'à déguster !...*

Terrine de volaille

On entre un peu ici dans le domaine des Dieux !
Car il faut aimer faire plaisir pour se lancer dans la réalisation
d'une "terrine", sachant tout le bonheur qu'on prendra à plonger
son couteau dans la terrine pour en extraire une de ces tranches
colorées. D'ailleurs, on a tous au palais le goût d'une terrine
préparée par une mère ou une grand-mère, voire une belle-mère...
Et rien que d'en parler...

Pour 10 à 12 tranches

- 1 kg de gorge de porc
- 1 kg de maigre de volaille
- 1 kg de foies de volaille
- 1 barde, 1 coiffe
- 1 oignon, 1 échalote
- 2 gousses d'ail
- 2 branches de persil
- 2 œufs entiers
- Thym et laurier
- 2 verres de vin blanc sec
- 1 verre de porto
- 2 cl de marc

Par kilo :
- 2 g de sucre
- 4 g de muscade
- 20 g de sel
- 2 g de poivre

N.B. : la coiffe (ou crépine) est une membrane
graisseuse gracieusement fournie par votre charcutier.

⧖ **Préparation : 1 heure**
   Macération : 24 heures
☀ **Cuisson : 2 h 30**

- *Hacher la viande de porc à la machine.*
- *Couper grossièrement les foies et le maigre de volaille.*
- *Placer toutes les viandes dans une jatte.*
- *Déposer ensuite l'oignon, l'échalote,*
  l'ail, le persil, la muscade, le sucre, le sel et le poivre.
- *Verser le vin blanc, le porto et le marc.*
- *Ajouter les œufs, le thym et le laurier.*
- *Laisser macérer au frais 24 heures.*

- *Le lendemain, retirer le thym et le laurier.*
- *Choisir une terrine de bonne dimension,*
  la tapisser avec de la barde de lard.
- *La remplir de farce, bien appuyer sur le mélange,*
  poser la coiffe par dessus.
- *Dorer d'abord 1/2 heure à four chaud au bain-marie.*
- *Cuire doucement durant 2 heures (thermostat 3).*
- *À la sortie du four, garnir la terrine de gelée chaude.*
- *Mettre au réfrigérateur 24 heures minimum*
  avant de servir.

Paquets de couennes

Là, attention, on ne rit plus ! On s'adresse ici à ceux qui ont la cheville "gastronome" bien plantée ! La préparation n'est pas très longue mais la cuisson permet, pendant qu'elle mijote dans son fait-tout, d'aller saluer la voisine, prendre le temps d'une messe et, à la sortie, faire encore quelques emplettes, ensuite rentrer tout de go partager en famille ce plat qu'on ne trouvera nulle part ailleurs... (compter 2 h 30).

Pour 4 personnes
- 6 couennes de porc fraîches
- 2 oignons, clou de girofle
- 3 carottes
- 1 l de bouillon de volaille
- 1 bouquet de persil
- Sel et poivre

⌛ **Préparation : 20 minutes**
✹ **Cuisson : 2 h 30**

➤ Couper les couennes en lanières, les ficeler en paquets de 5 ou 6.
➤ Piquer les oignons d'un clou de girofle après les avoir pelés.
➤ Nettoyer et émincer les carottes.
➤ Dans un fait-tout, disposer oignons, carottes et paquets de couennes.
➤ Recouvrir de bouillon de volaille et porter à ébullition, laisser cuire 2 h 30, tout doucement.
➤ Égoutter les paquets de couennes.

On peut les servir bien chaud accompagnés d'autres cochonnailles ou les faire rissoler, salés et poivrés, avec du persil.

Harengs marinés

Qu'on le sache : le hareng a une chair délicate et fine. On le mange frais, salé, demi-fumé, fumé, saur (salé puis séché à la fumée), à peine sauré, en filets, mariné... N'en jetez plus ! On en restera à cette dernière option, c'est la version préférée des Bouchons...

Pour 4 personnes

- *8 filets de harengs fumés*
- *Huile d'arachide*
- *2 carottes*
- *2 oignons*
- *Quelques grains de poivre et de coriandre*
- *4 feuilles de laurier*

⧗ Préparation : 15 minutes

- *Étaler une couche de filets de harengs dans une terrine en terre.*
- *Disposer dessus des rondelles de carottes et des tranches d'oignons.*
- *Recommencer plusieurs fois l'opération jusqu'à remplir la terrine.*
- *Terminer par le laurier, les grains de coriandre et de poivre.*
- *Recouvrir d'huile d'arachide et laisser macérer plusieurs jours au frais.*
- *Sortir du réfrigérateur au moins 4 heures avant de servir.*

Fromage de tête de cochon

Cette entrée ne vous coûtera pas les yeux de la tête (du cochon !).
On retrouvera ici encore les origines populaires de la gastronomie lyonnaise.
N'empêche, elle reste appréciée des "gueuletonneux" pour sa consistance
et son goût, surtout quand on est mieux "d'dans que dehors".

Pour 10 personnes (affamées !)

- 1 tête de porc
- 2 pieds de porc, couennes
- 2 blancs de poireaux
- 4 carottes
- 2 oignons
- Bouquet garni
- Clous de girofle, poivre, genièvre
- Gros sel
- 1 l de vin blanc sec

⌛ **Préparation : 2 heures** ✺ **Cuisson : 3 heures**

🙥 *Disposer la tête de porc désossée dans une saumure.*

🙥 *La laisser dans le sel pendant 3 jours en la retournant de temps en temps.*

🙥 *Bien la rincer à l'eau claire.*

🙥 *Dans une cocotte, la mettre avec les carottes coupées, les poireaux, les oignons piqués de clous de girofle, 2 cuillères de grains de poivre et deux cuillères de baies de genièvre.*

🙥 *Ajouter les couennes et les pieds crus coupés en deux.*

🙥 *Mouiller avec le vin blanc et couvrir d'eau froide.*

🙥 *Laisser cuire 3 heures à partir de l'ébullition.*

🙥 *Retirer la tête, l'égoutter ainsi que les carottes.*

🙥 *Passer le bouillon au chinois.*

🙥 *Couper en petits morceaux les viandes ainsi que la langue.*

🙥 *Dans une terrine, mélanger toutes les viandes, les carottes, parsemer de persil haché.*

🙥 *Verser le bouillon pour remplir la cocotte.*

🙥 *Tasser avec un poids et mettre 24 heures au réfrigérateur.*

*Servir en hors-d'œuvre avec une salade,
et éventuellement quelques cornichons.*

Les Entrées Chaudes
et les Cochonnailles

Comme entrée en matière, et à qui veut toucher au saint des saints de la cuisine lyonnaise, ces recettes-là s'imposent car on y trouvera ce qui en constitue pratiquement les piliers : les cochonnailles.

On glissera ici sur la liste conséquente (mais quand même pas infinie !) de ces spécialités que sont la rosette, le cervelas, le jésus, celles-ci n'ayant pas forcément besoin de cuisson ni même de préparation. On se contentera de citer le roi en la matière, messire saucisson, qui se plie d'honorable façon à toutes les exigences et transformations. Ce faisant, il peut prendre pour nom sabodet et être baptisé à la gnôle ou au vin rouge, ce qui lui ajoute un certain... prestige.

Gâteau de foies de volaille

La volaille est ici mise à l'honneur.
Nous avons goûté ce plat dans le cadre "minuscule"
d'une ancienne épicerie, petit Bouchon
tout en longueur au cadre particulier
de bocaux et d'anciennes glacières...

Merveille de petite entrée chaude,
elle "ouvre" le repas de belle façon...

Et le vin ???

"Vaut mieux mettre son nez dans un verre
de beaujolais que dans les affaires
des autres", dit la plaisante sagesse lyonnaise...

Pour 6 personnes

· 450 g de foies blonds
· 6 biscottes
· 6 œufs
· 1 l de lait
· 50 g de farine
· 6 gousses d'ail, persil
· 50 g de beurre
· Sel et poivre

⧖ **Préparation : 30 minutes** ❀ **Cuisson : 35 minutes**

❧ *Hacher les foies, le persil et l'ail.*
❧ *Pendant que les biscottes trempent dans du lait,*
préparer une petite béchamel et incorporer les 6 jaunes d'œufs.
❧ *Ajouter le hachis de foie, le persil, l'ail, les biscottes essorées,*
❧ *Saler et poivrer.*
❧ *Battre les blancs d'œufs et les incorporer délicatement*
dans ce mélange.
❧ *Verser le tout dans un moule beurré.*
❧ *Laisser cuire au bain-marie 35 minutes.*

Ce gâteau se sert avec une sauce Nantua.
On peut le garnir de quenelles de brochet.

Saucisson brioché

"Saucisson : sorte de charcuterie formée d'un gros boyau rempli de viandes hachées, crues ou cuites, fortement assaisonnées et tassées. La qualité du saucisson dépend essentiellement de celle de la viande employée et du tour de main du praticien..." On n'est pas obligé d'en chercher la définition chaque fois qu'on va acheter son saucisson, par contre on sera très regardant sur la qualité du praticien. On rentrera ensuite chez soi sûr de son choix, étalera ses emplettes sur la toile cirée et s'attellera à bien briocher son saucisson. Le saucisson, cette sorte de charcuterie... Fermez le ban.

Pour 6 personnes

1 saucisson à cuire de 500 g.

Pour la brioche
- 500 g de farine
- 250 g de beurre
- 50 g de sucre
- 6 œufs
- 10 cl d'eau
- 20 g de levure de boulanger
- 1/2 cuillère à café de sel

⌛ **Préparation : 30 minutes** ❉ **Cuisson : 1 h 30**

🥄 *Plonger le saucisson dans l'eau froide.*
🥄 *Porter à ébullition et poursuivre la cuisson pendant 15 minutes.*

Brioche
🥄 *Pendant ce temps, mélanger les œufs avec la farine, la levure délayée avec de l'eau, le sucre et le sel.*
🥄 *Pétrir pendant 10 minutes jusqu'à obtenir une pâte qui se décolle facilement.*
🥄 *Malaxer le beurre et incorporer en pétrissant de nouveau pour bien le faire pénétrer.*
🥄 *Mettre la pâte à refroidir en la tapant de temps en temps pour la faire dégonfler (elle doit durcir).*
🥄 *Au bout de 4 à 5 heures, l'étaler au rouleau.*
🥄 *Badigeonner le saucisson cuit et refroidi d'œuf battu avec un pinceau.*
🥄 *Le rouler dans la farine et l'envelopper dans la pâte briochée.*
🥄 *Mettre le tout dans un moule à cake beurré.*
🥄 *Laisser lever 45 minutes. Dorer à l'œuf et cuire pendant 30 minutes au four (thermostat 6).*

Saucisson chaud au beaujolais

Comme quand on retrouve deux vieilles connaissances, préparer un saucisson au beaujolais donne l'impression d'avancer en terrain connu. Voici une recette simple à réaliser et qui "labellisera" le repas d'une note lyonnaise en diable ! Un plat, qui plus est, aux champignons et... aux petits oignons !

Pour 6 personnes

- 1 saucisson à cuire de 800 g
- 100 g d'échalotes
- 300 g de petits oignons blancs
- 200 g de champignons de Paris
- Sel et poivre
- Bouquet garni
- 1 bouteille de beaujolais

⌛ **Préparation : 15 minutes** ❀ **Cuisson : 50 minutes**

- Dans un grand fait-tout, faire revenir les échalotes (elles ne doivent surtout pas dorer).
- Verser la bouteille de beaujolais et faire cuire 15 minutes.
- Ajouter le saucisson, préalablement piqué, le bouquet garni et cuire de nouveau très doucement 25 minutes.
- À mi-cuisson, retourner le saucisson.
- Pendant ce temps, caraméliser les petits oignons, dans une casserole couverte, avec une cuillère de sucre, du beurre et 1/2 verre d'eau.
- Faire revenir les champignons dans du beurre chaud.
- Éplucher puis découper le saucisson en tranches épaisses sur un plat.
- Ajouter les petits oignons et les champignons au fond de cuisson.
- Laisser réduire le jus de moitié et verser sur les tranches de saucisson.

Servir avec des pommes vapeur saupoudrées de persil haché.

Sabodet à la couenne buclée

En forme de petit sabot, le sabodet est un amour de gros saucisson, plein de bonnes choses dedans ! Qu'on en juge : tête et viande de porc, couennes hachées, assaisonnement de poivre, épices, muscade, ail, eau-de-vie et vin rouge ! Ainsi, on comprendra plus aisément que le temps de préparation soit aussi réduit pour cuisiner un saucisson qui est presque un plat à lui tout seul ! (On cherchera du côté de la pomme de terre pour que ce mets soit tout à fait complet).

Pour 4 personnes
- 1 sabodet de 800 g
- 10 pommes de terre
- Beurre frais

- Faire chauffer 1 l d'eau dans un fait-tout.
- Plonger le sabodet préalablement piqué avec une épingle.
- Cuire à feu moyen pendant 20 minutes.
- Laisser au chaud dans le bouillon jusqu'au moment de servir.
- Pendant que le sabodet cuit, mettre les pommes de terre dans le panier métallique d'une cocotte.
- Couvrir d'eau, saler, porter à ébullition, et cuire 20 minutes.
- Couper le sabodet en tranches épaisses et servir accompagné de pommes de terre.
- Rajouter du beurre frais.

On peut le servir tiède ou froid, en entrée avec une salade de pommes de terre à l'huile, des cornichons et de la moutarde. Le cervelas peut être préparé de la même façon.

Boudin aux deux pommes

Le boudin fait partie de ces aliments qui s'accommodent aussi bien des saveurs salées que sucrées. Il oscillera ici entre les deux comme un amant qui ne saurait se décider. Pour le bonheur de nos papilles...

Pour 4 personnes

- *800 g de boudin*
- *4 pommes fruits*
- *800 g de pommes de terre*
- *1/4 de litre de lait*
- *100 g de beurre*
- *Sel*

Préparation : 15 minutes
Cuisson : 20 minutes

- *Couper le boudin en 12 morceaux.*
- *Peler les pommes de terre et les couper en quatre ou huit suivant leur grosseur.*
- *Les faire cuire dans l'eau salée.*
- *Faire une purée : écraser les pommes de terre, les passer dans un moulin à légumes. Verser le lait bouillant dessus, bien mélanger en ajoutant le beurre en petits morceaux.*
- *Éplucher les pommes fruits et les couper en quartiers.*
- *Dans une poêle, faire cuire les pommes et le boudin dans un peu de beurre et d'huile.*

Sur une assiette, servir le boudin avec les pommes fruits et les pommes de terre en purée.

Boudin à la crème d'oignons

Recette traditionnelle à nouveau,
très facile à réaliser, où l'on mariera boudin,
oignons et crème fraîche.

Pour 4 personnes
- 4 parts de boudin à la crème
- 1 oignon
- 10 cl de crème fraîche
- 5 cl de vin blanc
- Beurre
- 1 cuillère à café de moutarde
- Sel et poivre

⌛ **Préparation : 10 minutes**
☀ **Cuisson : 20 minutes**

- Dans une poêle, faire revenir
  le boudin avec une noix de beurre.
- Le poser sur une assiette et le garder au chaud.
- Faire blondir l'oignon émincé, déglacer au vin blanc,
  ajouter la crème et la moutarde, saler et poivrer.
- Verser sur les oignons.
- Passer le tout au chinois et verser sur le boudin.

Servir très chaud.
On peut également accompagner de pommes fruits creusées,
cuites au four, remplies de sucre et arrosées de beurre fondu.

Foies de veau à la lyonnaise

L'oignon encore, allié au foie de veau dans une recette très simple et toujours fort goûteuse...

Pour 4 personnes

- 4 tranches de foie de veau
- 4 petits oignons
- 100 g de beurre
- 3 cuillères d'huile
- Farine, vinaigre
- Bouillon
- Sel et poivre
- Persil haché

⧖ **Préparation** : 15 minutes
✿ **Cuisson** : 25 minutes

- *Faire revenir les oignons émincés dans du beurre.*
- *Passer les tranches de foie de veau dans la farine et les faire cuire dans une poêle avec du beurre et de l'huile en les retournant sans cesse avec une fourchette.*
- *Disposer les tranches sur une assiette chaude.*
- *Déglacer la poêle avec un demi-verre de vinaigre et un demi-verre de bouillon, faire bouillir et verser sur les oignons réservés.*
- *Verser le tout sur les tranches de foie.*
- *Ajouter le persil haché et servir chaud.*

LES ABATS

Nous entrons là dans les... entrailles de la gastronomie lyonnaise, et on ne s'en plaindra pas ! On remarquera que les abats ont une connotation de plat de pauvres (de France d'en bas dirait-on...). Mais si, effectivement, leur prix de revient les range du bon côté du porte-monnaie, c'est peut-être en haut de l'échelle qu'on cherchera leur valeur nutritive... J'entends d'ici les abats répondre que "c'est la faute aux autres !" Et les beurres et autres crèmes de se planquer sous leur pupitre...

Pas de procès en surcharge pondérale ici, juste les réflexions de deux spécimens, aux "abattis" pour le moins fluets, qui n'ont pas pris 100 grammes depuis le début de leur tournée "bouchonnesque".

Que l'on parcoure donc les recettes qui suivent, ou qu'on se "fende" d'un voyage à Lyon ! L'un n'empêchant pas l'autre, et réciproquement.

Gras-double à la lyonnaise

Classique encore, traditionnel, incontournable donc... Le gras-double, constitué de bonnet de veau (la poche de l'estomac), se laisse découper en lanières et s'allie aux oignons pour nous offrir une préparation à déguster illico.

Pour 6 personnes

- 1 kg de bonnet de veau
- 3 gros oignons
- 2 cuillères à soupe de vinaigre de xérès
- Beurre
- Persil
- Sel et poivre

⏳ **Préparation : 15 minutes** ❊ **Cuisson : 30 minutes**

- *Dans une poêle, faire fondre le gras-double coupé en lanières jusqu'à ce qu'il soit doré.*
- *Bien égoutter.*
- *Pendant ce temps, faire blondir les oignons émincés au beurre.*
- *Ajouter le gras-double, faire revenir l'ensemble à feu vif.*
- *Saler et poivrer.*
- *Déglacer avec 2 cuillères à soupe de vinaigre de xérès.*
- *Saupoudrer de persil haché et servir très chaud.*

Émincé d'andouillette au vin blanc

Attention, n'est pas andouillette de Lyon qui veut ! La véritable et authentique andouillette est composée de "pure fraise de veau embossée dans un chaudin de veau". Son achat relèverait-il de la quête du Graal ? Qu'on en demande donc la composition au détaillant tant il est vrai que de la qualité des ingrédients dépendra la réussite du plat, et donc le sourire des convives... Et qui veut les satisfaire ménage son tripier !

Pour 6 personnes

- *1 andouillette de 900 g*
- *200 g d'échalotes émincées*
- *1 l de vin blanc*
- *25 g de beurre*
- *200 g de crème fraîche*
- *1 feuille de laurier*
- *Sel et poivre*
- *25 g de beurre et 25 g de farine pour faire le roux*

Préparation : 20 minutes Cuisson : 30 minutes

- *Dans un récipient, mettre les échalotes et le laurier, verser le vin blanc, assaisonner légèrement.*
- *Faire réduire au 3/4 à feu vif.*
- *Dans un autre plat, faire un roux avec le beurre et la farine, le verser dans la première préparation tout en fouettant, lier puis crémer.*
- *Porter de nouveau à ébullition.*
- *Verser le tout dans un plat à gratin.*
- *Couper l'andouillette en tranches (4 tranches par personne).*
- *Dans une poêle, les faire dorer dans du beurre.*
- *Disposer les tranches dorées dans le plat et mettre au four pendant 15 à 20 minutes.*

Servir en accompagnement un paillasson de pommes de terre ou une purée.

Andouillette beaujolaise

Pour 4 personnes
- 4 andouillettes de 200 g
- 1/2 l de beaujolais
- 200 g d'échalotes
- 4 épices (une pincée)
- Sel et poivre

"L'andouillette c'est comme la politique, ça sent toujours la merde"... Que ceux, nombreux, qui connaissent l'expression d'Edouard Herriot et ceux, moins nombreux, dont l'écoute de certains mots crisse les tympans, veuillent bien nous excuser de placer ce bon mot, mais la chose est imparable...

Ce qui l'est moins, c'est d'obtenir de la bonne andouillette, et cette quête-là mérite bien quelque effort, sous peine de reculer d'une page !

⧗ **Préparation : 10 minutes** ✿ **Cuisson : 30 minutes**

- Dans un récipient, faire revenir les échalotes.
- Faire dorer l'andouillette 10 minutes de chaque côté dans la même poêle.
- Mouiller avec le beaujolais et laisser réduire.
- Saler et poivrer, ajouter les 4 épices.

Servir chaud accompagné d'un gratin dauphinois.

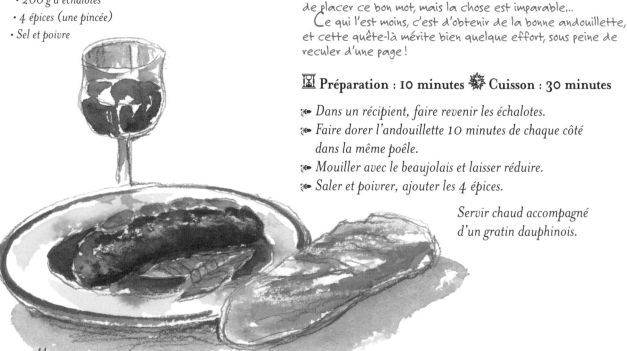

Tablier de Sapeur

Autre nom bien mystérieux qui dit si peu de chose sur la qualité du plat concerné. Le mystère attise la curiosité, et c'est une fois de plus l'Histoire qui s'y colle !
- "Quel beau tablier de Sapeur !", aurait dit Boniface de Castellane, maréchal de France et gouverneur de Lyon sous le second Empire, alors qu'on lui servait un morceau de panse de bœuf panée au beurre. Entre le tablier de cuir d'un Sapeur de l'Empereur et une pièce de gras-double, la ressemblance est évidente !

Pour 6 personnes
- 3 bonnets de veau
- Chapelure
- 1 jaune d'œuf
- 50 g de beurre

Pour la marinade :
- 1 l de vin blanc
- 1 verre de vinaigre
- 150 g de moutarde
- 10 dl d'huile
- Sel et poivre

Pour la sauce :
- 1 jus de citron
- 1/4 de crème
- Ciboulette
- 1 verre de marinade

⌛ **Préparation : 15 minutes** ✳ **Cuisson : 10 minutes**

- Découper les bonnets de veau en portions de 200 g.
- Dans une terrine, verser le vin blanc, l'huile, le vinaigre, la moutarde, le sel et le poivre.
- Plonger les morceaux dans la marinade et laisser 48 h au frais.
- Égoutter et sécher les tabliers puis les passer dans l'œuf et la chapelure.
- Dans une poêle, les cuire 5 minutes de chaque côté, bien les dorer.
- Les disposer sur du papier absorbant.
- Pour obtenir la sauce, réduire la marinade de moitié, ajouter la crème, le jus de citron et la ciboulette.

Gratin de tripes à l'ancienne

Une liste d'ingrédients un peu longue, une préparation tout à fait réalisable, un temps de cuisson qui s'étale... tout cela pour une recette "à l'ancienne", qui ravira les amateurs de "tripailles". La sagesse populaire (récente) ne veut-elle pas qu'"il faille laisser du temps au temps"... Voilà bien l'occasion de la mettre en pratique !

Pour 6 personnes

- 2 kg de gras-double
- 2 oignons
- 2 carottes
- 1 kg de tomates
- 0,5 l de vin blanc
- 2 cuillères de farine
- 1 cuillère de concentré de tomates
- 1 l de fond de veau
- Laurier
- 1 clou de girofle
- 50 g de beurre
- Sel et poivre

⧗ Préparation : 20 minutes ❀ Cuisson : 6 heures

- *Laisser mariner les morceaux de tripes dans le vin blanc et les herbes.*
- *Faire revenir les carottes et les oignons émincés dans du beurre.*
- *Ajouter 2 cuillères de farine et le concentré de tomates.*
- *Déglacer ensuite au vin blanc.*
- *Rajouter les tomates fraîches, le fond de veau et les morceaux de tripes.*
- *Disposer le tout dans une terrine allant au four.*
- *Ajouter encore le clou de girofle, des feuilles de laurier, le sel et le poivre.*
- *Couper une pomme de terre en lamelles, recouvrir de mie de pain ou de gruyère râpé.*
- *Laisser mijoter pendant 6 heures et déguster directement dans le plat de cuisson.*

47

Les Poissons

La cuisine traditionnelle lyonnaise utilise forcément des poissons blancs. C'est qu'on ne voit pas la mer de Fourvière ! On n'oublie pas que Lyon est une ville arrosée par d'autres liquides que le beaujolais !

Les plats de poisson ont donc un lien de parenté avec la Saône, la Dombes et quelques rivières alentour (madame la Raie, sortez des rangs !). Il n'empêche, cuisiner la carpe, le brochet, l'anguille, ne vous fera pas forcément "excommunier", vous pouvez garder votre tablier…

Raie au beurre noisette

La raie se cuisine de plusieurs façons, et du beurre noir au beurre noisette, la tradition a choisi la seconde. La voici donc proposée à notre palais, dans une préparation qui ne "dure pas l'âge d'un chien vieux !"

Pour 4 personnes

- 1,2 kg de raie épaisse
- 200 g de beurre
- 10 cl de vinaigre de vin rouge
- 4 cuillères de câpres
- 1 bouquet de persil frisé

Pour le court-bouillon :
- 2 l d'eau
- 1 verre de vinaigre blanc
- 5 cl d'huile
- 2 oignons
- 1 bouquet garni
- 50 g de gros sel
- 10 grains de poivre

⧖ **Préparation : 30 minutes** ❋ **Cuisson : 5 minutes**

- *Couper la raie en quatre morceaux, les laver sous le robinet et les disposer dans une grande casserole.*
- *Préparer le court-bouillon : verser l'eau froide, l'huile, les oignons coupés en lamelles, le vinaigre, le bouquet garni, le sel et le poivre.*
- *Dès l'ébullition, laisser bouillir 10 secondes puis retirer du feu pendant 30 minutes en couvrant la casserole.*
- *À l'aide d'une écumoire, retirer les morceaux et les égoutter.*
- *Ôter les deux peaux glutineuses avec un couteau.*
- *Disposer la raie dans un plat chaud.*
- *Saler, poivrer, ajouter des câpres.*
- *Dans une poêle, faire dorer le persil avec du beurre.*
- *Déglacer la poêle avec le vinaigre et verser sur le poisson.*

Ces gestes doivent être faits le plus rapidement possible.
Déguster chaud accompagné de pommes vapeur.

Filets de carpe au régnié

La Dombes a le titre de fournisseur officiel de carpe pour la gastronomie lyonnaise. Invitez donc Dame carpe à votre table, proposez-lui un coup de régnié (classé AOC depuis 1988), vous la verrez filer à l'anglaise la bouteille sous la nageoire !

Plus prosaïquement, allez donc bader du côté de votre poissonnier,..

Pour 4 personnes

- 4 filets de carpe de 200 g chacun
- 1 bouteille de régnié
- 1 tête d'ail
- 2 échalotes
- 1 gros oignon
- 10 cl de cognac
- 50 cl de fond de veau
- Persil
- Huile et beurre
- Sel et poivre

⌛ **Préparation : 15 minutes** ✹ **Cuisson : 1 h 30**

- Avant la préparation, faire mariner 24 heures le poisson dans le vin.
- Ajouter les échalotes, l'oignon et l'ail finement coupés.
- Dans une cocotte, faire revenir au beurre les arêtes de poisson, bien dorer, flamber au cognac.
- Rajouter la marinade, le fond de veau, saler, poivrer et laisser cuire 1 h 30 tout doucement pour obtenir une sauce onctueuse.
- La passer au chinois.
- Après avoir cuit les filets dans une poêle avec du beurre, les dresser sur un plat où l'on a d'abord versé le fond de sauce.

Matelote d'anguilles

Alors, l'anguille, poisson d'eau douce ou de mer ? On la classe dans la première catégorie, elle "file" vers la mer des Sargasses uniquement pour se reproduire, d'octobre à janvier. Elle aussi se prépare de multiples façons : grillée, frite, à la mode des régions (piémontaise, ploërmelaise, d'Ussel...), jusqu'au pâté d'anguille.

Ce serpentiforme à l'enduit visqueux ne rebute pas le marmiton, et l'on goûtera à sa chair en rêvant au voyage qu'elle a fait pour terminer ainsi accompagnée d'un "p'tit côtes-du-rhône". Merci l'anguille...

Pour 4 personnes

- 1,2 kg d'anguilles
- 200 g de beurre
- 50 g de farine
- 200 g de champignons
- 1 carotte
- 1 oignon
- 2 échalotes
- 150 g de petits oignons blancs
- 6 gousses d'ail
- 2 bouteilles de côtes-du-rhône
- Laurier
- Thym
- Persil
- Sel et poivre
- Lait
- Pain rassis

⌛ **Préparation : 30 minutes** ☀ **Cuisson : 5 minutes**
Sauce : 3 heures

- *Faire revenir carotte, ail et oignon dans une casserole avec 100 g de beurre environ.*
- *Ajouter thym, laurier et persil.*
- *Saupoudrer de farine et laisser colorer.*
- *Dans une autre casserole, verser le vin, le faire bouillir, le flamber et rajouter la préparation dans la première casserole.*
- *Réduire tout doucement cette sauce pendant 3 heures, puis la passer au chinois.*
- *Placer les morceaux d'anguilles (coupés en morceaux de 5 cm) dans du lait et les faire rissoler dans 40 g de beurre pendant 1/4 d'heure environ.*
- *Sur un plat, disposer les morceaux d'anguilles.*
- *Faire dorer au beurre les croûtons de pain rassis après les avoir frottés à l'ail.*
- *Cuire les petits oignons dans du beurre et les champignons à l'eau vinaigrée. Les rajouter sur le plat.*
- *Verser la sauce sur le poisson.*
- *Garnir avec les croûtons dorés et saupoudrer de persil haché menu.*

Quenelles de brochet sauce Nantua

Ah, la voici bien la quenelle de Lyon, la vraie, au brochet évidemment, mais quoi d'autre au fait ? Et bien plongeons-nous dans la lecture de ces lignes, on apprendra la chose avant que de se retrousser les manches. Ah, les belles quenelles !...

Pour 8 à 10 quenelles

- 250 g de chair de brochet cru
- 300 g de beurre
- 2 blancs d'œufs
- 2 jaunes d'œufs
- 70 g de farine
- 15 cl de lait
- Sel et poivre
- Muscade

⧗ **Préparation : 3 heures** ❀ **Cuisson : 20 minutes**

🐾 *Dans une casserole, bien mélanger farine, jaunes d'œufs, 25 g de beurre fondu, sel, poivre et muscade râpée.*

🐾 *Délayer avec 15 cl de lait bouillant et cuire en remuant.*

🐾 *Verser la composition dans un plat et laisser refroidir.*

🐾 *Passer le brochet au mixer et en faire une purée.*

🐾 *Travailler longuement dans une jatte, incorporer la panade, les blancs d'œufs, le beurre fondu, sel, poivre et muscade râpée.*

🐾 *Mettre au réfrigérateur pendant 2 heures.*

🐾 *Rouler la farce sur une planche farinée pour obtenir de belles quenelles d'une dizaine de centimètres .*

🐾 *Les pocher à l'eau frémissante salée pendant 5 minutes en les retournant à mi-cuisson.*

🐾 *Disposer les quenelles égouttées dans un plat à gratin beurré, napper de sauce Nantua.*

🐾 *Mettre au four préchauffé à 180° pendant 15 minutes.*

Servir aussitôt avant que les quenelles ne retombent.

Sauce Nantua

Pour faire 50 cl de sauce
- 10 queues d'écrevisses décortiquées
- 30 g de beurre d'écrevisse
- 30 g de beurre (tout court !)
- 50 cl de sauce Béchamel
- 2 dl de crème fraîche
- Une pointe de poivre de Cayenne
- Sel et poivre

➤ *Dans une casserole, faire saisir les queues d'écrevisses sans les durcir.*
➤ *Ajouter la sauce Béchamel et la crème fraîche.*
➤ *Laisser frémir quelques minutes et ajouter ensuite le beurre d'écrevisse.*
➤ *Épicer avec le poivre de cayenne, saler et poivrer.*

Certaines recettes rajoutent des gouttes de carmin à pâtisserie pour colorer la sauce, d'autres des tomates pelées, d'autres encore une carotte, un oignon, 80 grammes de lard...
Des goûts et des couleurs...

Filet de brochet braisé au mâcon

Sait-on que le brochet avait, en argot, "prêté" son nom au "souteneur", le reprenant ensuite pour lui abandonner celui de maquereau ?... C'est sa voracité qui lui avait valu cette momentanée non-distinction ! Ce roi des poissons, à chair blanche et ferme, au goût très fin, est très apprécié malgré... quelques arêtes.

Braisé d'abord, allié ensuite à un bon mâcon, voilà qui va nous en faire un bon copain le temps d'un repas. Bon appétit !

Pour 4 personnes

- *4 filets de brochet*
- *Vin blanc sec (mâcon)*
- *Carottes*
- *Oignons*
- *Poireaux*
- *Thym et laurier*
- *Farine*
- *Beurre*
- *Crème*
- *Sel et poivre*

⌛ Préparation : 30 minutes ❀ Cuisson : 8 minutes

- *Couper en petits dés les carottes, les oignons et les poireaux.*
- *Dans une poêle, les faire revenir au beurre, mettre une à deux cuillères de farine et déglacer au vin blanc.*
- *Saler et poivrer.*
- *Disposer les filets dans un plat, ajouter le thym et le laurier et verser la sauce par-dessus.*
- *Cuire 7 à 8 minutes au four (180°).*
- *Après avoir assaisonné 15 cl de crème, la monter au beurre et la verser sur le poisson très chaud.*

LES VOLAILLES
ET LES VIANDES

On s'est mis "en bouche" avec un verre de vin et quelques amuse-gueules, salades ou cochonnailles et entrées chaudes ou froides, le temps est venu de passer aux choses sérieuses…

Plat de résistance dit-on, volailles et viandes arrivent à la rescousse (on ne va pas partir à cloche-pied…). On cherchera dans les pages qui suivent de quoi tenir la route…

Coq au vin

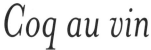

Poussez la porte, entrez discrètement... Cette odeur, c'est la même que chez Mamie Josette, odeur chaude de la sauce brune, odeur de lard et d'oignons mêlée au thym et au laurier, le vin aussi qui "baigne" la viande depuis hier matin... C'est toute la maison qui sent le coq au vin.

C'est là, sur le fourneau, que mijote l'objet des convoitises. Approchez-vous en tapinois et zyeutez dans sa cocotte le coq qui "bloubloute" dans son coin depuis 2 heures. Fermez les z'yeux... Humez... Vous avez déjà la serviette autour du cou !

Un Parisien est là, qui vous tend le bras (sa croûte dorée est encore chaude de la dernière fournée). Allez, cassez le quignon et trempez un bout dans la sauce, personne ne vous regarde ! Mmmh, pas de doute, on est bien un dimanche matin et vous avez quatorze ans !... Alerte, du bruit dans l'escalier, on vient...

Prenez vos jambes à votre cou et filez avant qu'on ne vous plume !

Pour 4 personnes

- *1 gros coq d'environ 2,5 kg coupé en morceaux*
- *100 g de lard*
- *70 g de graisse de porc*
- *1 bouteille de vin rouge corsé*
- *2 cl de marc*
- *20 g de farine*
- *1 branche de thym*
- *2 feuilles de laurier*
- *200 g de champignons de Paris*
- *8 croûtons rassis*
- *2 gousses d'ail*
- *Persil*
- *3 petits oignons*
- *Sel et poivre*

⧖ **Préparation : 20 minutes** ✺ **Cuisson : 2 heures**

❧ *Dans une cocotte, faire mariner pendant 24 heures les morceaux de coq dans le vin rouge.*

❧ *Ajouter les thym, laurier, ail, persil, oignons et le marc. Poivrer.*

❧ *Dorer les morceaux égouttés de chaque côté avec la graisse, un peu de beurre et le lard coupé en dés.*

❧ *Saupoudrer de farine puis mouiller avec la marinade préalablement chauffée dans une autre casserole.*

❧ *Saler et poivrer.*

❧ *Faire réduire tout doucement pendant 2 heures.*

❧ *À mi-cuisson, ajouter les champignons.*

❧ *Découper les croûtons, les dorer et les frotter à l'ail.*

Servir très chaud. Dresser les morceaux sur les croûtons dans un plat creux et verser la sauce.

Cuisses de volaille farcies aux morilles sauce Mercière et riz parfumé

Lire le titre de cette recette est déjà tout un programme.
Que lit-on donc? De la volaille (de Bresse, de celle qui court le ver
et pas le granulé), de la morille qu'on est allé chercher au fond du bois
(ou si on n'a pas de bois, en "sachet séchées chez" l'épicier d'en face),
de la Sauce, catégorie Mercière, crème fleurette et morilles à nouveau,
et puis un doigt de porto, le tout accompagné de riz parfumé...
On peut la lire et la relire encore, on peut aussi passer son tablier !

Pour 4 personnes

- 4 cuisses de volaille fermière
- 100 g de gorge de veau
- 100 g de blanc de volaille
- 50 g de morilles sèches
- 25 cl de bouillon de volaille
- 60 cl de crème fleurette
- 100 g de riz parfumé
- 25 g de beurre
- Porto
- Sel et poivre

⧗ **Préparation : 15 minutes** ❈ **Cuisson : 30 minutes**

- *Désosser les cuisses de volaille. Garder les os pour un fond de volaille (ou bien utiliser des Kub de volaille concentrée).*
- *Pour faire une farce, hacher le veau et le blanc de volaille.*
- *Saler et poivrer.*
- *Incorporer 5 cl de crème et 2 cuillères à soupe de porto.*
- *Après avoir trempé les morilles 10 minutes dans l'eau tiède, les égoutter.*
- *Garnir les cuisses de farce en mettant au centre 2 belles morilles (cette farce remplace l'os de la volaille).*
- *Envelopper les cuisses une à une dans du papier-film.*
- *Les cuire 15 minutes à la vapeur*
- *Cuire le riz à part en le laissant un peu ferme.*

Pour la sauce
- *Faire réduire le bouillon de volaille et napper de crème.*
- *Ajouter les morilles, mixer le tout et assaisonner.*
- *Disposer le riz au centre d'une assiette puis une cuisse, napper ensuite le tout de sauce.*

Servir très chaud.

Poulet au vinaigre

Pour 4 personnes

- 1 poulet fermier de 1,750 kg environ
- 100 g de beurre
- 5 échalotes hachées finement
- 8 gousses d'ail non épluchées
- 1,2 l de vinaigre de vin
- 500 g de tomates
- 300 g de crème liquide
- 1 bouquet d'estragon
- Sel et poivre

Sale quart d'heure pour le pauvre poulet qui va passer au vinaigre, gavé d'ail, d'échalotes, de tomates, d'estragon, et paf, du sel, et paf, du poivre... Pauvre poulet, mais pas pauvre de nous ! Merci poulet !

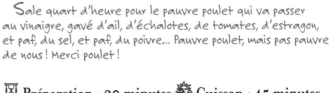

⧗ **Préparation : 20 minutes** ✺ **Cuisson : 45 minutes**

- *Découper le poulet en 8 morceaux.*
- *Dans une cocotte, faire dorer les morceaux avec du beurre en les retournant de tous les côtés.*
- *Saler et poivrer.*
- *Sortir les morceaux, enlever la graisse de cuisson.*
- *Ajouter les échalotes et l'ail puis remettre les morceaux.*
- *Laisser mijoter 15 minutes à feux doux.*
- *Verser le vinaigre et ajouter les tomates coupées en quartiers.*
- *Laisser encore mijoter 20 minutes, puis retirer les morceaux et les garder au chaud.*
- *Passer la sauce au chinois.*
  - *Incorporer la crème et faire réduire doucement en remuant sans laisser bouillir.*
  - *Réchauffer le poulet dans la sauce 3 à 4 minutes.*
  - *Au moment de servir, verser dans un plat creux et décorer chaque morceau d'une feuille d'estragon.*

Blanquette de veau

"Longtemps nous avons sacrifié au rituel de la blanquette de veau, dimanche brumeux à l'intérieur comme dehors. Nous allions chez ma tante, et ma cousine était belle..." Depuis, ma cousine s'est mariée et ma tante fait toujours sa blanquette. Recettes familiales on vous dit...

Pour 6 personnes

- 1,5 kg de veau (tendron ou épaule)
- 2 oignons
- 1 blanc de poireau
- 1 bouquet garni, thym
- 1 l de vin blanc sec
- 1 jus de citron
- 50 g de beurre
- 2 cuillères de farine
- 1 petit verre de câpres
- 500 g de crème
- 2 cubes "poule au pot"
- Sel et poivre

⌛ **Préparation : 30 minutes**
✳ **Cuisson : 1 h 30**

- Dans une cocotte, faire dorer les morceaux de veau dans 50 g de beurre et d'huile.
- Ajouter les oignons.
- Saupoudrer de farine.
- Verser le vin blanc et recouvrir avec l'eau dans laquelle on aura fait dissoudre 2 cubes de "poule au pot".
- Ajouter le sel, le poivre, le thym, le bouquet garni et le poireau.
- Laisser mijoter pendant 1 h 30.
- Retirer les morceaux de viande.
- Faire réduire la sauce avec le jus d'un citron et ajouter la crème.
- La passer ensuite au chinois.
- Les morceaux de viande seront ensuite remis dans la sauce avec un verre de câpres.

Ce plat se déguste avec du riz, des pâtes fraîches ou des pommes de terre rissolées coupées en petits carrés.

Tête de veau sauce verte

Du veau on cuisinera la tête de trois mille façons (au moins). Choisissons-en une, au court-bouillon tiens, que l'on accompagnera de sauce, ni gribiche ni tortue, mais simplement verte. Simplement.

Pour 6 personnes

- 1,8 kg de tête de veau roulée
- 1 oignon piqué de 3 clous de girofle
- 1 cuillère à soupe de farine
- 1 cuillère à soupe de vinaigre
- 1 bouquet garni
- 3 carottes
- Sel et poivre
- Persil
- 1 bouquet de fines herbes

⌛ **Préparation : 20 minutes** ✻ **Cuisson : 1 h 30**

Pour le court-bouillon :

- ⇒ *Dans une cocotte, mettre les carottes coupées en rondelles, l'oignon piqué de girofle, le sel, le poivre et le bouquet garni.*
- ⇒ *Verser ensuite 4 litres d'eau, puis le vinaigre et la farine.*
- ⇒ *Mettre la tête de veau dans ce court-bouillon en ébullition.*
- ⇒ *Laisser cuire tout doucement pendant 1 h 30 en tournant de temps en temps la tête de veau.*

Pour la sauce :

- ⇒ *Dans une saucière, mettre le persil finement haché et les fines herbes.*
- ⇒ *Verser dans cette saucière du vinaigre préalablement chauffé et 2 verres de bouillon de cuisson de la tête de veau.*
- ⇒ *Bien mélanger l'ensemble.*
- ⇒ *Couper la tête bien égouttée en morceaux.*
- ⇒ *Servir très chaud avec la sauce verte.*

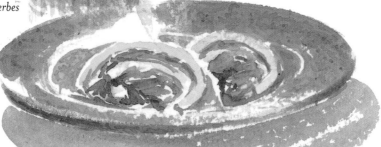

Civet de porc

Pour 6 personnes

- *1 kg d'échine de porc*
- *2 oignons*
- *2 carottes*
- *1 bouquet garni*
- *1 l de vin rouge corsé*
- *2 cuillères de farine*
- *1 verre de cognac*
- *1 verre de sang de porc ou de lapin (si possible!)*
- *100 g de beurre*
- *3 cuillères à soupe d'huile*
- *Sel et poivre*

Projet de monument à la gloire de frère cochon

GOD SAVE THE COUENNE

Le civet de lièvre ou de lapin, on connaît... de porc un peu moins... Excellente occasion de se jeter sur cette recette pour épater la galerie... Déjà, quand la galerie franchira le pas de la porte, elle appréciera sûrement ce fumet-là, elle ne pourra s'empêcher de lorgner dans ce chaudron-là, elle sera même tentée d'y tremper un doigt... Alors pensez, quand vous direz que c'est du porc... Et avec des pâtes fraîches !

⧖ **Préparation : 30 minutes** ❋ **Cuisson : 1 h 15**

- *Couper la viande en morceaux.*
- *La faire dorer de chaque côté dans une cocotte avec du beurre et de l'huile.*
- *Saupoudrer de farine, ajouter le verre de cognac, les oignons et les carottes.*
- *Mouiller avec le vin rouge et bien mélanger à la fourchette.*
- *Saler et poivrer.*
- *Mettre le bouquet garni et cuire tout doucement, 1 h 15 environ.*
- *Retirer la viande et la garder au chaud.*
- *Lier la sauce avec le sang en mélangeant bien.*

Servir avec des pâtes fraîches.

Pot-au-feu

Que voici un joli panier de la ménagère (confère la liste des ingrédients, pour le moins fournie...) pour une recette qui le vaut bien ! Et ce qui est bien, c'est qu'on peut en manger le lendemain, et le jour d'après... À réserver quand même aux journées frileuses. On dirait même que l'hiver, les carottes, la joue de bœuf, les poireaux, tout ça, tout a été créé pour le pot-au-feu... Divine création...

Pour 8 personnes

- 1 kg de joue de bœuf
- 1 kg de jarret de veau
- 1 kg de plat de côtes
- 8 os à moelle
- 500 g de carottes
- 500 g de navets
- 8 belles pommes de terre
- 4 boules de cèleri
- 8 poireaux
- 1 oignon
- 2 clous de girofle
- 1 bouquet garni
- Sel et poivre

⧖ **Préparation : 15 minutes** ❄ **Cuisson : 3 heures**

- *Dans une grande marmite, plonger la viande dans de l'eau salée 4 heures avant le repas.*
- *Dans une poêle, caraméliser l'oignon (pour colorer le bouillon) et piquer 2 clous de girofle.*
- *L'ajouter au bouillon ainsi que le bouquet garni et le poivre en grains.*
- *Laisser mijoter tout doucement.*
- *Au bout de 2 heures, ajouter les légumes.*
- *Laisser cuire 35 à 40 minutes.*
- *Cuire à part les pommes de terre 25 minutes à l'eau salée.*
- *Entourer chaque os à moelle d'une mousseline et faire pocher dans le bouillon.*
- *Dans un plat creux, dresser la viande, les légumes et un os par personne.*
- *Recouvrir de bouillon.*
- *Accompagner de cornichons, de gros sel et de moutarde.*

Le lendemain, on peut finir la viande en salade avec des oignons et des cornichons. On peut aussi hacher les restes pour en faire un délicieux hachis parmentier.

N.B. : La ménagère pressée peut préparer son pot-au-feu à la Cocotte-Minute (50 minutes de cuisson), mais ce serait une hérésie, bien sûr...

Lapin aux châtaignes

À force de courir au milieu des châtaignes, ce sont les châtaignes qui ont rattrapé le lapin. Et il en faudra bien 500 grammes pour l'accompagner jusqu'à notre assiette, avec carottes et échalotes. Quand est-ce qu'on mange ?

Pour 4 personnes

- 1 lapin de 1,5 kg
- 500 g de châtaignes
- 20 cl de lait
- 100 g de crème liquide
- 50 cl de vin blanc sec
- 4 grosses carottes
- 4 échalotes
- Huile ou saindoux
- Gros sel, poivre

⌛ **Préparation : 30 minutes** ✹ **Cuisson : 1 h 30**

- Éplucher les châtaignes en enlevant bien les deux peaux.
- En cuire 100 g dans du lait, les égoutter et faire une purée avec la crème.
- Couper le lapin en 8 morceaux et les faire dorer dans une cocotte en fonte avec de l'huile ou du saindoux.
- Ajouter les échalotes et les carottes coupées en lamelles.
- Verser le vin blanc.
- Assaisonner et faire cuire pendant 30 minutes.
- Enlever le lapin, passer le jus au chinois.
- Remettre la viande et le jus dans la cocotte avec les 400 g de châtaignes restantes.
- Cuire de nouveau 20 minutes.
- Terminer en ajoutant la purée de châtaignes à la crème.

  Servir très chaud.

Petit salé aux lentilles

Pour 8 personnes

- *3 kg de plat de côtes salé*
- *2 sabodets*
- *3 carottes*
- *2 oignons*
- *1 bouquet garni*
- *500 g de lentilles vertes du Puy*
- *1 jarret de porc demi-sel*

Quand on aura battu le pavé glacé et qu'une bise tenace nous aura bien mordu les oreilles, on rentrera chez soi et, à la louche, on se servira plutôt deux fois qu'une de ce caviar du pauvre, accompagné des salés et sabodets, le tout bouillant et fumant de bonheur. Et là, regardant à travers les fumées, on appréciera l'hiver en ville...

Préparation : 30 minutes Cuisson : 2 h 30

- *Dans une casserole, cuire doucement le petit salé et les 2 sabodets dans de l'eau avec une carotte et un oignon.*
- *Au bout de 30 minutes, sortir les sabodets.*
- *Cuire le petit salé 2 heures encore.*
- *Dans une autre casserole, faire revenir au beurre 2 carottes en rondelles et un oignon émincé.*
- *Ajouter les lentilles et le bouquet garni, recouvrir d'eau et les faire cuire 10 minutes, sans sel et à très petit feu.*
- *En fin de cuisson, rajouter le plat de côtes, les sabodets et le petit salé.*
- *Assaisonner.*

Servir très chaud en saupoudrant de persil haché.

LES LÉGUMES

*Pauvres légumes qui ne sont bien souvent que les faire-valoir
de Dame Laviande, réduits qu'ils en sont au rôle "d'intermittents du
steack-frites" ! Mais les seconds rôles valent parfois les premiers.
Et l'on piochera dans les recettes qui suivent pour se concocter
quelques plats qui seront le régal des visiteurs d'un soir, lorsque la
Bonne Franquette aura toqué à la porte et qu'il sera temps de goûter
en entrée quelques cochonnailles déjà citées.*

Réhabilitons le paillasson et le barboton…

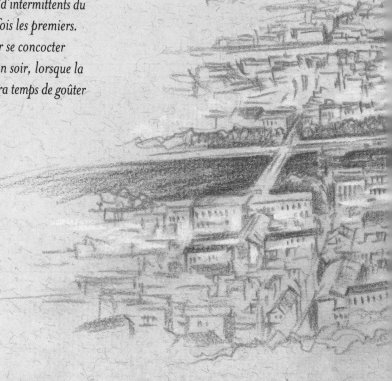

73

Cardons à la moelle

Voilà un légume qui n'est pas ordinaire (quoique...)
car la perte lors de sa préparation, au pelage, en diminue
d'une bonne moitié l'intérêt. (Notez que l'artichaut
n'est pas mal dans le genre...). Ceci accepté, ceux qui le
connaissent l'apprécient à sa bonne valeur et s'en régalent
de multiples façons. En voici une, non des moindres...

Pour 6 personnes
- *1,5 kg de cardons*
- *100 g de farine (ou une goutte de lait)*
- *3 os à moelle*
- *50 g de beurre*
- *50 cl de bouillon de pot-au-feu*
- *Gruyère râpé*
- *Sel et poivre*

⌛ **Préparation : 40 minutes** ❋ **Cuisson : 45 minutes**

- *Supprimer toutes les feuilles vertes.*
- *Attention, garder seulement les côtes des cardons ; en ôter les filandres et les couper en tronçons réguliers.*
- *Les plonger dans une bassine d'eau et du lait (ou 100 g de farine).*
- *Les cuire à l'eau légèrement salée pendant 40 minutes, puis les égoutter (ils doivent être cuits mais légèrement croquants).*
- *Les disposer dans un plat à gratin beurré.*
- *Saler et poivrer légèrement.*
- *Pendant ce temps, pocher les os à moelle dans le bouillon de pot-au-feu.*
- *Napper les cardons de bouillon et gratiner 5 minutes au four chaud avec du gruyère râpé.*

Servir bien chaud accompagné d'une viande au jus.

Galette lyonnaise

"J'aimeu la galetteu, avec du beurre dedans..."
Ce n'est pas nous qui le disons, c'est la chanson. Et à goûter ce qui suit, on jugera de la véracité du propos, en posant quand même la question de savoir s'il y avait de la purée dans la galette de la chanson...

Pour 4 personnes
- 700 g de pommes de terre à purée
- 100 g de beurre
- 3 oignons
- Lait
- Sel et poivre
- Muscade

⌛ **Préparation : 45 minutes** ☀ **Cuisson : 30 minutes**

- *Éplucher et couper les pommes de terre, les cuire à la vapeur.*
- *Les transformer en purée (travailler à la spatule avec 30 g de beurre).*
- *Ajouter le lait chaud pour obtenir une purée très épaisse.*
- *Assaisonner de sel et de poivre et râper un peu de muscade.*
- *Dans une poêle, faire revenir les oignons émincés avec 40 g de beurre jusqu'à ce qu'ils soient bien dorés.*
- *Verser la purée dans la poêle et laisser chauffer 5 minutes en remuant.*
- *La mettre ensuite dans un plat à gratin.*
- *Disposer des petits morceaux de beurre et faire gratiner quelques minutes dans un four très chaud.*

Servir brûlant.

Paillasson de Lyon

Encore un drôle de nom que ce paillasson, sur lequel on frottera plutôt les papilles que les brodequins ! Mais foin de drôlerie, on est ici convié au mariage de Môssieur l'Œuf et de Dame Charlotte de Bintje, et à voir la jolie teinte mordorée de leur rejeton, on n'aura qu'une hâte, le dévorer !
   Bon appétit !

Pour 6 personnes

- *1 kg de pommes de terre Charlotte ou Bintje*
- *80 g de beurre*
- *Persil*
- *Sel et poivre*

⏳ **Préparation : 15 minutes** ☀ **Cuisson : 30 minutes**

- *Préparer les pommes de terre, les râper ou les couper en julienne.*
- *Saler et poivrer.*
- *Dans une poêle, faire fondre la moitié du beurre.*
- *Verser les pommes de terre et former une galette de 2 cm d'épaisseur environ.*
- *Laisser cuire 10 minutes à feu doux.*
- *Cuire la seconde face en rajoutant l'autre moitié du beurre pour colorer de nouveau.*
- *L'intérieur du paillasson étant cuit, faire à nouveau dorer chaque face à feu très vif.*
- *Saupoudrer de persil avant de servir.*

Barboton

En voilà bien un autre, de ces noms mystérieux qui font plisser les fronts...
La pomme de terre à nouveau à l'honneur, accompagnée de lardons et d'oignons,
selon la tradition. Le barboton ne rechigne pas à être réchauffé, il ne perdra
rien de sa saveur...

Pour 4 personnes

- 1 kg de pommes de terre
- 2 oignons
- 300 g de lardons fumés
- 2 dl de bouillon
- 75 g de beurre
- 1 bouquet garni
- 1 gousse d'ail
- Sel et poivre

Préparation : 15 minutes **Cuisson : 40 minutes**

- Découper les pommes de terre épluchées en gros cubes.
- Dans une cocotte, faire revenir les lardons et les oignons émincés.
- Mouiller avec le bouillon, verser les pommes de terre,
  le bouquet garni et la gousse d'ail écrasée.
- Saler et poivrer.
- Couvrir et laisser mijoter 30 minutes.

Servir très chaud accompagné de côtes de porc grillées.

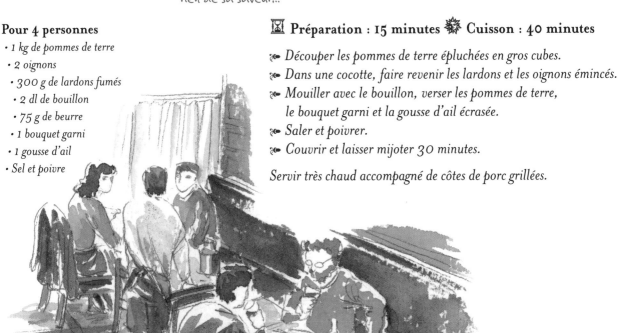

Gratin de macaronis

⌛ Préparation : 10 minutes
✵ Cuisson : 40 minutes

Il se trouve qu'un Italien était en ville au XVIᵉ siècle. Peut-être ne goûtait-il pas aux spécialités locales, peut-être que sabodet, paillasson, barboton et clapeton ne lui disaient rien. Alors il a sorti de sa musette des macaronis et les a gratinés devant un Lyonnais médusé. Celui-ci s'en est emparé et a montré sa trouvaille à un copain pour jouer au plus malin. Celui-ci s'en est emparé... etc, etc... Jusqu'au jour où on a dit que le gratin de macaronis faisait partie des spécialités lyonnaises. Ainsi s'écrit l'histoire (ou à peu près...)

Pour 6 personnes

- 300 g de macaronis longs
- 150 g de fromage râpé
- 10 cl de crème fleurette
- 30 g de beurre
- Gros sel
- Poivre
- Parmesan

Pour la béchamel
- 50 cl de crème
- 1/2 l de lait
- 40 g de farine

- Faire un roux avec la farine et le beurre.
- Diluer petit à petit avec un peu de lait tiède.
- Remuer avec un fouet pour éviter les grumeaux.
- Saler et poivrer.
- Ajouter la crème et le fromage râpé.
- Laisser frémir 8 à 10 minutes.
- Faire cuire les macaronis dans de l'eau salée. Bien surveiller la cuisson, il faut qu'ils restent bien fermes.
- Les garder dans du lait bouillant.
- Beurrer le plat à gratin, y mettre les macaronis égouttés.
- Verser la sauce dessus et saupoudrer de parmesan.
- Passer au four préchauffé (thermostat 7) et laisser gratiner 20 minutes.

Les desserts

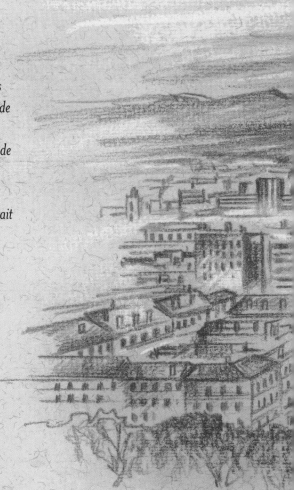

Les douceurs à présent… Où l'on verra que celles-ci ne sont pas toujours de la plus grande légèreté. On reste encore dans le registre de la cuisine des "mères", celle qui vous ragaillardit son ouvrier avant qu'il n'aille se "tuer à l'ouvrage"… Et pourtant, les bugnes, la grande spécialité du Lyonnais, étaient autrefois réputées, pour leur légèreté, mais quelques mécréants semblent les avoir "engraissées" en leur ouvrant les portes d'une consommation plus annuelle. On en dégotterait même dans quelques fêtes votives qui n'ont pas lu la presse féminine de fin de printemps ! Hélas… revenons aux fondamentaux !

Tarte aux pralines

Pour "y avoir goûté", je puis affirmer que la tarte aux pralines est un dessert qui clôturera le repas de bien belle façon. Un temps de préparation raisonnable pour un temps de cuisson qui ne l'est pas moins, à déguster tranquillement avant de sortir... prendre l'air.

Pour 4 personnes

Pour la pâte sucrée
- 250 g de farine
- 125 g de beurre
- 125 g de sucre glace
- 2 jaunes d'œufs
- 2 œufs entiers
- Sel (une pincée)

Pour la garniture
- 150 g de pralines
- 150 g de crème liquide

⧗ **Préparation : 30 minutes** ✺ **Cuisson : 15 minutes**

Pour faire la pâte sucrée :

- Dans un récipient, couper le beurre en morceaux, le laisser ramollir.
- Ajouter le sucre glace, bien mélanger.
- Rajouter les œufs, mélanger une nouvelle fois.
- Ne pas oublier le sel.
- Incorporer la farine.
- Amalgamer l'ensemble, puis laisser reposer 1 heure au frais, le récipient recouvert d'un film plastique.
- Travailler la pâte à la main puis l'étaler au rouleau.
- Après avoir beurré un moule, placer la pâte dessus, faire des trous à la fourchette pour éviter que celle-ci ne gonfle par endroits.
- Introduire dans un four préchauffé (thermostat 7).
- Dans une casserole, verser les pralines écrasées et la crème, chauffer doucement 7 à 8 minutes en remuant avec un fouet.
- Verser sur le fond de tarte à chaud.
- Refaire cuire la tarte 5 minutes environ.

Tarte aux noix

Pour 8 personnes

Pour la pâte brisée

- 250 g de farine
- 1 pincée de sel
- 4 cuillères à café de sucre
- 125 g de beurre
- 150 g de cerneaux de noix
- 1 œuf
- 100 g de sucre glace
- Une cuillère à soupe de rhum

Où l'on prendra notre Lyonnais la main dans le sac (de noix), occupé qu'il était à prélever du côté de Grenoble de quoi garnir le fond de sa tarte... On ne lui en voudra pas trop, c'était là une juste cause, de celle qu'on défendrait dents et ongles !

⧗ **Préparation : 15 minutes** ☀ **Cuisson : 30 minutes**

Pour faire la pâte brisée :

- Ajouter le sel à la farine, ainsi que les 4 cuillères à café de sucre.
- Mettre la farine en fontaine, disposer au centre le beurre et l'œuf.
- Pétrir rapidement en versant 2 cuillères à soupe d'eau tiède.
- Laisser reposer 1 heure.
- Étaler la pâte dans un moule et faire précuire dans le four.

- Mixer les cerneaux de noix de façon à obtenir une poudre.
- Battre l'œuf et le sucre, rajouter les noix mixées et la crème.
- Verser le mélange sur le fond de tarte et cuire au four à 180° pendant 30 minutes.
- Préparer un glaçage avec 100 g de sucre glace et une cuillère à soupe de rhum.
- Verser ce glaçage sur la tarte bien refroidie.

Tarte à la cueurde

Qui connaît la cueurde ? Eh bien, celui qui en a goûté, de l'entrée au dessert en passant par le plat de résistance ! Donc, après la soupe à la cueurde et le gratin à la cueurde, que diriez-vous d'une tarte à la cueurde... De quoi en être complètement "cueurdé"...

Pour 6 personnes

- 300 à 400 g de citrouille
- 1 l de lait entier
- 200 g de sucre
- 200 g de semoule de blé
- 2 œufs entiers
- 1 pincée de sel fin

⌛ **Préparation : 30 minutes** ☀ **Cuisson : 25 minutes**

Pour la pâte brisée, se référer à la page précédente.

- Faire chauffer le lait avec le sucre et le sel fin.
- Ajouter la semoule et la cuire en la gardant légèrement ferme.
- Bien remuer pour éviter les grumeaux.
- Cuire la citrouille à l'eau (3 minutes en cocotte), l'égoutter et la presser dans un torchon fin, puis la passer au mixer.
- Rajouter la citrouille dans la semoule avec les 2 œufs entiers.
- Verser ce mélange sur le fond de tarte précuit et remettre à cuire 25 minutes à four moyen (180°).

Selon le goût, saupoudrer d'un peu de sucre semoule dès la sortie du four.

Tarte au citron meringuée

En matière de tarte au citron, on aura tout vu, et aussi malheureusement tout goûté, du triste carton même pas ondulé à la préparation en sachet à jeter sur une pâte congelée. Pourtant, qu'est-ce que 60 minutes dans la vie de la MMCA (ménagère de moins de cinquante ans) pour satisfaire son mari, ses enfants, le tonton Jules et la tante Berthe ?... Encourageons-la !

Pour 6 personnes

- 2 citrons
- 200 g de sucre en poudre
- 150 g de beurre
- 2 œufs
- 50 g de sucre glace

(Pour conserver un citron que l'on a râpé pour son zeste, il suffit de l'enrober de sel fin).

⌛ **Préparation : 30 minutes** ❋ **Cuisson : 30 minutes**

Pour la pâte brisée, se référer à la pâte de la tarte aux noix.

- *Étaler la pâte brisée, la piquer à la fourchette et la pré-cuire.*
- *Râper les zestes des citrons, les presser et garder le jus.*
- *Dans une terrine, mélanger au fouet les jaunes d'œufs, le sucre, le beurre fondu et le jus des citrons.*
- *Verser sur la pâte, cuire au four chaud (thermostat 8) pendant 30 minutes.*
- *Monter les blancs en neige ferme, les sucrer avec 50 g de sucre glace et en couvrir la tarte.*
- *Repasser au four quelques minutes pour colorer légèrement la meringue.*

Pommes caramélisées

Qui dit caramel dit doigts qui collent ! Cette remarque vaut pour celui qui croquera la pomme perchée au bout de son bâton, quand il hésite entre le grand huit qui fait frémir et la maison hantée qui fait peur. La pomme caramélisée dont on va parler ici se déguste à la cuillère ; seules les figures à longues bacchantes seront pénalisées...

Pour 6 personnes

- *6 pommes reinettes*
- *50 g de sucre*
- *1 cuillère à café de cannelle*
- *75 g de beurre*

Pour le caramel

- *100 g de sucre*
- *2 cuillères à soupe d'eau*

⧖ **Préparation : 15 minutes** ❋ **Cuisson : 25 minutes**

- *Éplucher les pommes et enlever les pépins par le centre (il faut garder la pomme entière).*
- *Garnir le milieu avec 30 g de beurre et le sucre.*
- *Saupoudrer les pommes de cannelle et les cuire au four 25 minutes (thermostat 5).*

Pour faire le caramel

- *Dans une casserole, mettre le sucre avec l'eau et faire chauff*
- *Dès que le caramel est brun, ajouter le reste de beurre.*
- *Verser le caramel sur les pommes et remettre au four.*

Déguster encore tiède.

86

Bugnes de Lyon

Pour 100 bugnes environ

- 800 g de farine
- 6 œufs
- 80 g de sucre en poudre
- 10 g de sel fin
- 100 g de beurre
- 1 citron
- Huile
- Sucre glace
- et selon les goûts, du rhum blanc ou de la fleur d'oranger

"Son âme est montée au ciel droit comme une bugne !" L'expression s'appliquait autrefois à un Lyonnais qui passait de vie à trépas après avoir vécu de façon exemplaire. On célébrait ainsi la légèreté, et de l'âme, et de la bugne ! On doit ici comprendre qu'elle est fabriquée avec très peu de matière grasse (la bugne !), rappel de ce temps du Carême où de saintes femmes les confectionnaient alors.

Sainte Jeanne serait-elle la patronne des bugnes ?

⧗ **Préparation : 30 minutes** ❈ **Cuisson : 20 minutes**

- Préparer la pâte la veille et la conserver au frais.
- Dans une terrine, disposer la farine en fontaine.
- Au centre, ajouter le sucre, le sel, casser un à un les œufs, incorporer le beurre ramolli.
- Râper le zeste de citron et ajouter 2 cuillères de rhum blanc.
- Pétrir pour obtenir une pâte homogène et assez ferme.
- La travailler longuement puis la rouler en boule et la laisser au frais jusqu'au lendemain.
- Prendre une partie de la pâte et l'étendre au rouleau le plus finement possible.
- À la roulette, découper des rectangles de 4 cm sur 8 cm.
- Faire chauffer un bain de friture à 180°.
- Plonger les bugnes dans la friture et les retourner de temps en temps pour qu'elles soient bien dorées.
- Avec une écumoire, les poser sur un papier absorbant.
- Saupoudrer de sucre glace.

87

Poires à la beaujolaise

Pour 6 personnes

- 6 belles poires
- 1 bouteille de beaujolais
- 125 g de sucre en poudre
- 1 gousse de vanille
- 1 bâton de cannelle
- 2 clous de girofle
- 1 zeste d'orange (non traitée)
- 1 dl de crème de cassis de Lyon

Quelque chose me dit que voilà bien un dessert léger, de ceux qui font du bien au palais et glissent tout seuls sans attendre leur reste ! De ces desserts que les hommes apprécient, laissant les tartes à leur compagne, et du coup, les clés de la voiture pour rentrer,...

⌛ **Préparation : 15 minutes** ✳ **Cuisson : 30 minutes**

- ➤ Dans une casserole, verser le vin avec le sucre, la cannelle, la gousse de vanille, les clous de girofle et le zeste d'orange.
- ➤ Chauffer et laisser bouillir 5 minutes.
- ➤ Éplucher les poires, les garder entières en laissant la queue.
- ➤ Les plonger dans le sirop et cuire à feu doux 20 minutes.
- ➤ Laisser refroidir les fruits dans le jus de cuisson.
- ➤ Dresser les poires dans un beau plat creux.
- ➤ Mélanger le vin à la crème de cassis. Napper les poires de ce sirop.

Galettes au sucre de Pérouges

Sucre en morceaux, sucre en poudre, sucre cristallisé... ode au sucre donc, et qui sera plutôt d'un tempérament salé passera son chemin ! C'est le chemin de ce petit village médiéval qu'est Pérouges, invitation à la flânerie dans un décor de capes et d'épées (plusieurs films y ont été tournés...)

Pour 6 personnes

- 350 g de farine
- 2 œufs
- 60 g de beurre
- 1 morceau de sucre
- 35 g de sucre en poudre
- 1 citron
- 15 g de levure de boulanger
- 1 pincée de sel

Pour la finition de la galette

- 60 g de beurre
- 50 g de sucre cristallisé

⌛ **Préparation : 20 minutes** ✦ **Cuisson : 18 minutes**

- *Faire ramollir le beurre, frotter un morceau de sucre contre le zeste de citron.*
- *Former une fontaine avec la farine et verser au milieu la levure (écrasée dans une cuillère à soupe d'eau tiède), du sel, du sucre et le zeste de citron.*
- *Casser un à un les œufs et travailler la pâte.*
- *Incorporer le beurre ramolli en petits morceaux.*
- *Quand la pâte est prête, la laisser reposer 30 minutes dans un plat.*
- *La retravailler pour avoir une pâte homogène.*
- *Former un disque et le disposer sur un plat allant au four.*
- *Badigeonner le dessus de la galette avec le beurre de finition et saupoudrer de sucre cristallisé.*
- *Couper les restes de beurre en petits morceaux et en parsemer la galette.*
- *Cuire pendant 18 minutes (thermostat 7).*

Les Vins et les Fromages

    Fromages et vins ne font pas partie, à proprement parler, des spécialités lyonnaises, même si l'on trouve en fouinant dans quelques caves, posés sur leur lit de paille, des gros Sans-Souci ! On saura surtout gré aux Lyonnais d'avoir su prélever alentour tout ce qui se fait de bon en la matière… Car si on ne produit pas vraiment, rien n'empêche de savoir bien consommer !

    Et c'est ainsi, du mélange des genres, que se trame la réputation des "gars d'Lyon"…

Des spécialités... venues d'ailleurs !

En matière de fromage sec donc, le Lyonnais n'hésite pas à "prélever" en Savoie, dans le Jura, dans la Drôme et en Ardèche, et jusqu'en Auvergne, tout ce qui est à son goût.

Toutefois, en cherchant bien, on trouvera quand même quelques fabrications locales, dans le 3e arrondissement, qui semblent un peu du saint-marcellin mais en plus "gros" et qui a le nom de Sans-Souci, du nom du quartier où "qu'il est fait".

Encore plus local parce que souvent fabriqué sur la toile cirée de la cuisine, le fromage fort, savant mélange de vieux fromages qu'on laissera "mariner" dans son pot de terre, arrosé de vin blanc et de bouillon de poireau. Faut que ça "soye"' fort et bon !...

Mais la juste spécialité, celle qu'on peut commander au patron, c'est la célèbre cervelle de canut qui fait "grandir les yeux" de celui qui entend ce nom pour la première fois. On en trouvera la simplissime recette en face... (mais attention, tout est affaire de juste proportion...)

Quant au breuvage chargé de rincer joyeusement les gosiers, le Lyonnais malin se tourne du nord au sud pour "y piquer" quelques dives bouteilles de beaujolais, de "Coteaux du Lyonnais", de Côte-Rôtie et de côtes-du-rhône... Ainsi paré, notre homme pourra s'abreuver soit modérément, soit à tire-larigot...

On lui conseillera de peaufiner une digestion qui pourrait être plus lente que prévue, par une légère eau... d'Arquebuse de l'Hermitage. Mais cela pourrait faire l'objet d'un autre chapitre...

Cervelle de canut

Pour 4 personnes

- 4 fromages blancs en faisselles, bien égouttés
- 1/2 fromage frais de chèvre
- 1 cuillère à soupe de vin blanc sec
- 1 cuillère à café d'échalotes hachées
- 1 cuillère à soupe de ciboulette hachée
- 1 cuillère à soupe de persil haché
- 1 cuillère à soupe d'huile d'olive
- 2 cuillères à soupe de crème fraîche
- Sel et poivre
- Quelques gouttes de vinaigre

Que voilà bien un drôle de nom ! Cervelle de canut !
On préfèrera ce terme à celui de claqueret,
plus mystérieux encore mais nettement moins imagé !
Vous la préférez comment, cette cervelle de canut ?
En entrée, avec des pommes de terre chaudes
et une fine tranche de jambon, en tartine sur une
tranche de pain de seigle, ou à la place d'un bon
morceau de fromage sec ?...

⧖ Préparation : 10 minutes

- Hacher très finement le persil, la ciboulette et les échalotes.
- Dans une terrine, mélanger les fromages blancs avec les herbes et le fromage.
- Ajouter le vin blanc, l'huile d'olive, le sel, le poivre et le vinaigre.
- Incorporer la crème fouettée.
- Placer au réfrigérateur quelques heures avant le repas.

La cervelle de canut se déguste fraîche
mais non glacée.

INDEX

Un grand merci aux "gensses" des Bouchons
qui nous ont ouvert leur cœur et leurs livres,
entre autres l'excellent *Les recettes des Authentiques Bouchons Lyonnais*
qui présente des recettes traditionnelles améliorées à leur façon.
    Merci également à ceux, connus et inconnus,
qui nous ont révélé la cuisine lyonnaise.

Pour une bibliographie :

Pierre Grison, Jacques Bertinier, Alain Dubouillon, Jacky Redon,
Les recettes des Authentiques Bouchons Lyonnais, éd. Rhône Imprim, Lyon, 1998.
    Gérald Gambier, *Les traditions de la cuisine lyonnaise,* éd. la Taillanderie,
Châtillon-sur-Chalaronne, 2002.
    Jean-Marie Fonteneau, *Meilleurs recettes des Bouchons de Lyon,* éd. Ouest France, Rennes, 1998.
    Francine Claustres, *Connaître la cuisine lyonnaise,* éd. Jean-Paul Gisserot, 1998.
    Pierre Grison, *Des mets et des mots lyonnais,* éd. Xavier Lejeune, 1999.
    Pierre Grison, Michel Godet, *Promenades Lyon, Beaujolais, Vienne,* éd. Bias, 1990.
    Mère Courtin, *La cuisine traditionnelle lyonnaise,* éd. des Traboules, Brignais, 1991.

Dépôt légal : 2ᵉ semestre 2004
Imprimé en CEE